Vente de garage chez ma mère

Daniel Laverdure

Illustrations de Bruno St-Aubin

COLLECTION
Le chat & la souris

ÉDITIONS
MICHEL
QUINTIN

Données de catalogage avant publication (Canada)

Laverdure, Daniel

  Vente de garage chez ma mère

  (Le chat et la souris ; 15)

  Pour enfants de 7 ans.

  ISBN 2-89435-202-6

  I. St-Aubin, Bruno. II. Titre. III. Collection:
  Chat et la souris (Waterloo, Québec) ; 15.

PS8573.A816V46 2002   jC843'.54   C2002-941477-6
PS9573.A816V46 2002
PZ23.L38Ve 2002

Révision linguistique : Monique Herbeuval

  Le Conseil des Arts du Canada / The Canada Council for the Arts — SODEC Québec — Patrimoine canadien / Canadian Heritage

La publication de cet ouvrage a été réalisée grâce au soutien financier du Conseil des Arts du Canada et de la SODEC.

De plus, les Éditions Michel Quintin bénéficient de l'aide financière du gouvernement du Canada par l'entremise du Programme d'aide au développement de l'industrie de l'édition (PADIÉ) pour leurs activités d'édition.

Gouvernement du Québec – Programme de crédit d'impôt pour l'édition de livres – Gestion SODEC

ISBN 2-89435-202-6

Dépôt légal - Bibliothèque nationale du Québec, 2002
Dépôt légal - Bibliothèque nationale du Canada, 2002

© Copyright 2002

Éditions Michel Quintin
C.P. 340, Waterloo (Québec)
Canada J0E 2N0
Tél.: (450) 539-3774
Téléc.: (450) 539-4905
Courriel: mquintin@mquintin.com

1 2 3 4 5 6 7 8 9 0 M L 9 8 7 6 5 4 3 2

Imprimé au Canada

Chapitre 1

Une super bonne idée

Comme tous les printemps, ma mère veut organiser une vente de garage. Mais comme tous les printemps, elle se demande si elle devrait en faire une.

— Ah, je ne sais pas trop! C'est beaucoup de travail.

— Tu as raison, maman! Laisse donc faire pour cette fois.

— Chaque année, c'est moi qui me charge de tout l'ouvrage.

— Oui, puis ça t'énerve pour rien. Laisse donc faire pour cette fois.

— En plus, je ne suis pas bonne pour fixer les prix, je ne demande jamais assez cher.

— C'est vrai, tu perds ton temps et ton argent. Laisse donc faire pour cette fois.

— O.K. d'abord! Je vais encore la faire cette année.

Eh oui! Comme tous les printemps, elle finit par la tenir, sa vente de garage!

Ce n'est pas qu'elle ait plein de trucs et de machins à vendre. Ce n'est pas qu'elle veuille se débarrasser de dizaines de babioles inutiles, sans parler de tous ces bidules dont on ne se sert jamais. La raison principale, c'est qu'elle adore ça.

Toute une fin de semaine où parents et voisins se côtoient pour discuter, faire des blagues, se taquiner et, bien sûr, vendre des vieilleries.

Évidemment, après toutes ces années, ma mère a pratiquement vendu toutes ses broutilles. Mais, cette fois, elle croit avoir une super bonne idée (selon elle) : ma mère va préparer des boutures, c'est-à-dire qu'elle va

mettre en terre des petits bouts de ses propres plantes pour en faire de nouvelles, et les vendre.

Ma mère ne perd pas de temps. Elle appelle son amie Capucine pour qu'elle vienne l'aider.

— Attrape ton sécateur, Capucine, on va bouturer généreusement.

— Quelles plantes as-tu choisies?

— Toutes!

— Je te reconnais bien là! Si on était en décembre, tu serais capable d'essayer de bouturer ton sapin de Noël en plastique!

Les deux amies rient de bon cœur.

Elles ont coupé tout ce qui pouvait l'être : les géraniums, les bégonias, les impatiens, les coléus, les cactus, le lierre et, bien sûr, les traditionnelles plantes araignées qu'à peu près tout le monde possède. La maison est pleine de boutures; un peu plus et elles bouturaient la cravate fleurie de mon père.

Chapitre 2

Les préparatifs

Le moins qu'on puisse dire, c'est que ma mère aime la simplicité. Mais le message est clair, elle est certaine de ne pas se tromper.

Ma mère téléphone aux habitués pour s'assurer de leur présence à l'événement. Elle prend bien soin de souligner que, cette fois, l'accent est mis sur les plantes. Pas uniquement des boutures, mais toutes sortes de plantes, des vivaces, des arbustes et, pourquoi pas, des arbres – de petits arbres, évidemment.

L'équipe maintenant formée, chacun organise son matériel : petits collants – rouges de préférence – pour indiquer les prix, crayon feutre noir, ciseaux, ruban adhésif, etc.

Ma mère compte utiliser une vieille porte couchée sur deux tabourets en guise de table. Elle y disposera les plus petits pots. Mais sa table ne sera jamais assez

grande pour recevoir tous les petits gobelets dans lesquels elle a planté ses boutures. Quand je les regarde, j'ai l'impression que ces malheureuses boutures se demandent ce qu'elles ont bien pu faire pour mériter une telle punition.

— Mais… qu'est-ce que c'est que ça? demande ma mère à un participant.

— Euh! C'est un dieffen-bachia…

— Je vois bien que c'est un dieffenbachia! Mais vous avez vu de quoi il a l'air, votre dief-fenbachia? Il mesure au moins 75 centimètres, il n'a que deux feuilles et, en plus, elles sont toutes petites.

— Oui, je sais. Mais c'est ma seule plante, je n'ai rien d'autre.

Ma mère court dans la remise, fouille et revient avec sept pots de plastique, un sac de terre et son sécateur. En moins de deux minutes, elle tranche le dieffenbachia en morceaux qu'elle plante dans les pots remplis de terre, et elle arrose le tout rapidement.

— Vous avez maintenant six dieffenbachias à vendre. Le septième, ramenez-le chez vous, mon cher ami, car une maison sans plante, c'est comme un

biscuit aux brisures de chocolat
sans verre de lait.

Chapitre 3

Les marchands de
fin de semaine

Un tel groupe comprend diffé-
rentes catégories d'individus, à
savoir :

1- les dépressifs : toujours dé-
couragés et se plaignant parce
que ça prend trop de temps,
ce n'est jamais assez rentable,
c'est trop nuageux ou trop
ensoleillé;

2- le comique (toujours seul dans sa catégorie) : une blague n'attend pas l'autre, drôle ou pas. Il ne voit pas à son affaire et, en général, il tombe sur les nerfs des dépressifs;

3- les jaseux : ils ont continuellement quelque chose à raconter sur tous les sujets, quitte à distraire les acheteurs éventuels qui finissent par déguerpir;

4- les vendeurs : ils sont là pour faire de l'argent et rien d'autre;

5- les timides : en général, ils sont venus parce que quelqu'un les y a forcés;

6- les jeunes : c'est-à-dire Patricia et moi. Nous sommes là pour nous amuser et, pourquoi pas, gagner un peu d'argent.

Enfin, dernière catégorie :

7- ma mère : qui veut et qui fait tout pour que toutes les personnes du groupe de marchands soient heureuses et qu'elles reviennent l'année prochaine.

Chapitre 4

Ça commence

Tout est prêt. Ma mère a attribué un espace à chaque participant. Les tables sont maintenant garnies, les prix sont inscrits et presque tout le monde a une chaise.

J'ai mon petit emplacement, moi aussi. Ayant divisé plusieurs vivaces qui prenaient trop de place au jardin, me voici avec une belle collection d'hémérocalles, d'iris, de magnifiques hostas, du thym, quelques fougères et plein de jolies primevères. J'y ai ajouté quelques plants de rhubarbe, même si ma mère estime que cette plante n'est pas très esthétique.

Patricia, une bonne amie à moi, participe également à l'activité. Elle a apporté des boîtes entières de livres sur les plantes, des sécateurs pour différents usages, des cisailles, des gants d'horticulteur, des récipients d'engrais et même des arrosoirs. Car sa mère se découvre régu-

lièrement une nouvelle passion.
L'année dernière, c'était l'horticulture. Mais, comme ses pas-
sions durent rarement plus de

six mois, il faut alors se débarrasser de tout cet attirail.

Ma mère est très heureuse : l'événement social de l'année commence. Elle sert le café dans sa plus grosse cafetière et offre des biscuits au gingembre. Même le soleil est de la partie.

Bientôt, une voiture ralentit, tourne le coin de la rue et se stationne. Deux couples de personnes âgées en descendent. Elles s'approchent d'une table. Une des dames s'attarde longue- ment sur des casse-tête de jardins en fleurs, beaucoup, beaucoup de toutes petites fleurs.

On est sur le qui-vive : on croit qu'il va y avoir une vente. Nous, on discute, comme si, dans le fond, on s'en moquait complètement de vendre ou pas. Mais dès que quelqu'un s'approche de notre étalage, on fait un peu d'humour, on se montre gentils.

Finalement, les quatre personnes s'en vont les mains vides en se demandant à quelle messe assister : celle de neuf heures ou celle de onze heures?

On les regarde partir en silence. Nous sommes déçus. Certains ont peur que ce soit ainsi toute la fin de semaine.

— Qu'est-ce qu'elles ont, nos plantes? Elles ne sont pas assez belles? En plus, à ce prix-là, c'est donné!

Ça aide d'avoir un bon moral quand on se lance dans une entreprise aussi aventureuse.

Chapitre **5**

Une
fausse note

Comme d'habitude, c'est la table de ma mère qui attire le plus de curieux. Il y a d'abord ce barbu qui ne s'intéresse qu'aux boutures. Il les examine attentivement, puis il choisit un tout petit bégonia.

— J'en aurais bien pris d'autres, mais c'est difficile à transporter en moto.

Ensuite, arrive un groupe de petites madames grouillantes qui achètent une bonne dizaine de pots. Un peu plus tard, la voisine de la deuxième rue en arrière, qui est venue en curieuse, repart avec cinq boutures. Et après ça, ma mère vend encore huit autres boutures à deux religieuses.

De mon côté, mes hostas et mes iris se vendent bien. Toutefois, mes hémérocalles n'ont aucun succès.

Le beau temps donne envie de jardiner : tout le monde est enthousiaste, aussi bien les marchands que les clients. Tout se passe donc bien, comme le souhaitait ma mère.

Soudain, une fausse note. Un cri retentit.

— DES COCHENILLES!!!

Notre voisin, monsieur Verte-Feuille, a des cochenilles dans

son schefflera. Ce sont de petits insectes gluants qui se collent aux tiges et aux feuilles des plantes. C'est dégoûtant, les cochenilles, et puis c'est tenace! Si on ne fait rien, la plante finit par en mourir.

— Des cochenilles dans ma vente de garage! s'exclame ma mère. Vous n'y pensez pas, monsieur Verte-Feuille! Vos bestioles vont tout envahir!

— Pardonnez-moi. Comme je ne connais pas grand-chose en horticulture, je n'ai rien remarqué.

Tous les yeux fusillent le malheureux. Il comprend vite et

s'éclipse avant d'être expulsé. Dix minutes plus tard, ma mère se rend chez monsieur Verte-Feuille avec un vaporisateur rempli d'eau savonneuse et elle lui explique comment soigner la plante infestée.

Chapitre 6

La « bean western »

À huit heures quinze, complètement épuisée, ma mère se prépare
à aller au lit. Elle n'aura pas trop
de la nuit tout entière pour
recharger ses batteries.

À deux coins de rue, sur le ter-
rain des loisirs municipal, a lieu
le festival annuel de la «bean
western». Le slogan de cette

année est : *On pète le feu au festival de la bean western!* Les rues avoisinantes débordent de voitures stationnées n'importe où et n'importe comment.

Les réjouissances ont commencé il y a quelques heures avec un souper de fèves au lard aromatisées de mélasse et de champignons verts. Les invités d'honneur, assis à une grande table à l'avant, ont même eu le privilège de boire de la bière de pissenlit préparée par la femme du maire.

À présent, une musique endiablée entraîne la foule qui danse, gigue et se trémousse sans

relâche. Les concours se suc-
cèdent : le concours de la plus
grosse menterie, de la gigue la
plus longue, celui du saut de
clôture et enfin, la course au
cochon graissé.

À dix heures, un long et
bruyant feu d'artifice fait vibrer
les fenêtres de la chambre de ma
mère. Aussitôt après, la fête
reprend de plus belle. Ma pauvre
mère est incapable de fermer
l'œil. À trois heures du matin,
elle est si tendue qu'elle est sur
le point de manger son oreiller
orné de fleurs des champs.

Des fêtards turbulents et un
peu trop joviaux cherchent leur

voiture. Ils sont presque arrivés sous la fenêtre de ma mère.

— Ne fais pas tant de bruit, Berny! Faut pas réveiller les gens qui dorment.

— Qui veux-tu qu'on réveille? Toute la ville est en train de manger, de boire, de danser et de péter.

Les deux larrons éclatent de rire. Le mot «pet» fait toujours rigoler.

Ma mère n'en peut plus, elle explose. Le visage enfoncé dans la moustiquaire, elle crie avec force:

— C'EST BIENTÔT FINI, OUI! ON N'EST PAS DANS

UN ZOO, ICI! ON EST DES GENS CIVILISÉS, NOUS! ON FAIT DES VENTES DE GA-RAGE, NOUS! ALLEZ-VOUS-EN… BANDE DE PÉTEUX!

Dégrisés d'un seul coup, les deux amis se rappellent soudain qu'ils sont venus en autobus.

Chapitre 7

Le deuxième jour

Ma mère est la première sortie ce matin, prête plus que jamais à servir son café et ses biscuits. Elle arrose généreusement ses boutures et s'assoit sur sa chaise de patio en PVC. Tout en mâchant ma beurrée de banane au miel, je la rejoins.

— J'ai comme un pressen-
timent, m'annonce-t-elle. Ça ne
sera pas une journée ordinaire!

— Ça veut dire qu'on va avoir
du fun, si je ne me trompe pas.

— Probablement.

C'est sa façon de me dire
qu'elle est en super forme,
malgré les cernes qu'elle a sous
les yeux. Peu à peu, les autres
participants se joignent à nous.
Bientôt, tout est prêt pour
recevoir les clients endimanchés.
Soudain, madame Desruisseaux
pousse un cri :

— Ahhhh!!!

— Qu'est-ce qui se passe? dis-
je tout énervé.

— Mes yuccas! Regardez mes yuccas! ILS SONT VIOLETS!!!

Ma mère n'en revient pas.

— C'est bizarre, je n'ai jamais vu ça de toute ma vie et pourtant, j'en ai vu des étrangetés. Avec quoi les arrosez-vous?

— D'habitude, je leur donne de l'engrais pour plantes vertes, mais…

— Mais quoi?

— J'ai voulu leur donner de la couleur pour la vente de garage. J'ai mis du colorant à gâteau dans mon eau.

— Ma pauvre madame Desruisseaux, je crois que vous

n'avez pas choisi le bon moment pour faire des expériences.

Compte tenu de ce résultat malheureux, madame Desruisseaux décide de retourner chez elle avec ses plantes violettes. En chemin, elle se dit qu'elle aurait dû choisir le colorant vert.

Pour ma mère, sa vente de garage, c'est aussi l'occasion de réunir les quelques solitaires du quartier. Tout le monde est le bienvenu.

Justement, voilà Léon qui s'amène. C'est un homme âgé qui, me semble-t-il, a toujours été vieux. Ce petit maigre au crâne dégarni et brillant a toujours les

baguettes en l'air et il adore raconter. Quelle que soit la gravité du sujet, ses récits se terminent toujours par une blague, si bien qu'on se demande souvent si ce qu'il dit est vrai.

— Prenez une chaise, Léon. Vous arrivez en plein dans ma vente de garage.

— Je vois bien ça. Vous êtes partie sur les plantes, cette année! Heureusement que je n'ai pas la fièvre des foins!

— Ahhh!!!

Cette fois, c'est ma voisine de table qui a un problème.

— C'est effrayant, Christophe! Regarde dans mon pot!

— Celui-là? C'est un bel hibiscus.

— Regarde mieux que ça! Là, sur la terre.

— Ah, ça!

— Oui, ça! Des crottes de chat! Quelqu'un a mis des crottes de chat dans mon hibiscus!

— À mon avis, c'est le chat qui les a mises là.

Ma réponse ne plaît pas du tout à madame Dulisier. Les fous rires des autres participants m'encouragent à continuer de plus belle.

— C'est bon pour votre hibiscus, madame Dulisier, c'est de l'engrais!

Au regard qu'elle me jette, je comprends tout de suite que je dois ramasser au plus vite le cadeau que mon chat lui a laissé.

Chapitre 8

Ça tombe bien

Un soleil radieux, c'est magnifique pour une vente de garage, mais c'est dur pour les plantes. On est obligés de les arroser continuellement. L'eau qui dégouline allègrement se ramasse au milieu de l'allée.

Ma mère se fait un devoir de prévenir toute personne se

dirigeant vers la flaque d'eau, ce qui s'ajoute à ses responsabilités déjà nombreuses.

Léon, habituellement très bavard, est tranquille depuis qu'il s'est assis. Il ne semble pas à son aise.

— Bon, dit-il enfin, je crois qu'il faut que je parte, maintenant.

— Pas déjà, Léon!

— Si. J'ai oublié que je devais acheter des douceurs pour ma perruche.

Léon s'en va en se dandinant. Tout le monde remarque sa démarche étrange.

Ma mère éclate de rire, puis tente de se retenir. Elle a honte

de se moquer de ce pauvre Léon. Elle vient de comprendre pourquoi il ne parlait plus : Léon s'est assis sur un cactus et il est reparti avec plusieurs épines dans les fesses.

Tout à coup, ma mère retrouve son sérieux. Madame Dureinfret vient d'arriver. C'est la femme du maire, une femme qui se croit tout permis et qui tombe sur les nerfs de ma mère.

— Bonjour madame, c'est bien ici la vente de garage?

— Oui, il me semble!

— Mais il y a beaucoup de plantes!

— C'est un « spécial plantes »,
comme l'indiquait l'annonce
dans le journal.

La dame se penche sur un
assortiment de plantes.

— Je déteste les plantes, elles
sentent mauvais. En plus, c'est
plein de microbes. Je ne vais pas
perdre mon temps ici!

Nous sommes tous plutôt
surpris des commentaires de
madame Dureinfret. Mais voilà
qu'elle se met à hurler. Une
plante carnivore lui pince le nez
avec appétit. Elle réussit à se
dégager et s'enfuit vers sa
voiture. Elle plonge les deux
pieds dans la fameuse flaque

d'eau, glisse et tombe. Les
éclaboussures arrosent à nou-
veau nos plantes.

On pouffe de rire, à l'ex-
ception de ma mère qui court
aider la dame à se remettre
debout. La femme du maire

nous foudroie du regard. Puis, elle se tourne vers ma mère et se radoucit.

— Merci. Merci beaucoup, madame!... Vous avez de jolies fleurs.

Chapitre 9

Pour en finir avec
les boutures

En fin d'après-midi, il ne vient
presque plus personne. De toute
façon, cette année encore, la
vente de garage a été un succès.
Tout le monde est content parce
que pratiquement tout a été
vendu. Enfin, presque; ma mère
avait préparé une telle quantité de
boutures qu'il en reste beaucoup.

— Rendez-moi service! dit-elle aux participants. Emportez quelques boutures, c'est gratuit!

Ils en profitent tous et repartent les bras chargés d'un bon échantillonnage des plantes de ma mère.

Malgré tout, une bonne trentaine n'ont pas trouvé preneur.

— Que vas-tu faire de toutes ces plantes? Il y en a déjà tellement dans la maison qu'on va bientôt être obligés d'en mettre sous les lits. Si on les envoyait dans le désert du Sahara, on risquerait de perturber l'écosystème de la planète.

— Tiens, tu me donnes une idée, Christophe.

— Tu vas les envoyer dans le désert?

— Non, je préfère un endroit plus approprié.

Le lendemain, toutes les boutures de ma mère se retrouvent au centre pour personnes âgées. Chaque pensionnaire possède maintenant une plante qui va être dorlotée selon les indications de ma mère. Elle est très satisfaite de son geste.

— Ces personnes sont souvent seules et ont beaucoup de temps libre, ça leur fera du bien d'aider une plante à se développer.

De retour à la maison, je m'interroge au sujet des futures ventes de garage de ma mère.

— Et l'année prochaine, maman, vas-tu organiser une autre vente de garage?

— Es-tu fou, Christophe! Je suis épuisée, vidée, exténuée. Je n'ai pas du tout envie de revivre toutes ces émotions une autre fois.

Ma mère s'allonge sur le divan pour prendre un repos bien mérité. Juste avant de fermer les yeux, elle jette un regard à la fougère devant la fenêtre.

— Regarde-moi cette fougère, elle est beaucoup trop grosse.

Ses racines débordent du pot. On pourrait en faire une bonne dizaine de rejetons. Et, en les séparant maintenant, ils auront toute l'année pour grandir. Ils seront superbes pour la prochaine vente de garage.

Voilà! C'est reparti!

Table des matières

Les aventures de ma mère :